Auf geht's in den Feenwald!

Was ist das überhaupt, DIN A4?

DIN A4 ist die Bezeichnung für eine ganz bestimmte Papiergröße. Papier mit diesem Format ist immer genau 21,0 x 29,7 cm groß. Aber warum ist das so?

Wenn man Papier verwendet, braucht man es oft für ganz verschiedene Zwecke: zum Schreiben, Malen, Ausdrucken, Abheften. Es ist praktisch, wenn das Papier dann immer die gleiche Größe hat, so passt es in jeden Drucker, Briefumschlag oder Hefter.

Und so gibt es garantiert auch irgendwo bei euch zu Hause DIN-A4-Papier: Im Schulheft, im Drucker, im Schreibblock, im Tonpapier-bastelblock und so weiter.

Mit DIN-A4-Papier kannst du auch jederzeit alles aus diesem Buch basteln: Kobolde und Feen, märchenhafte Masken, Fabeltiere, eine Ritterburg und noch vieles mehr. Und das Beste daran: Du brauchst wirklich immer nur genau ein DIN-A4-Blatt.

Alles, was du sonst noch brauchst, hast du bestimmt auch griffbereit: Stifte, eine Schere und Klebstoff. Und vielleicht auch ein Lineal.

So funktioniert dieses Buch:

Zu jedem Projekt, also zu jeder Bastelidee, gibt es eine Material-liste, eine Schritt-für-Schritt-Anleitung und ein Foto, das zeigt, wie die fertige Bastelei aussieht. Außerdem gibt's noch jede Menge Infos oder Spielideen.

Hinten im Buch findest du die Vorlagen für die Projekte. Die Vorlagen kannst du ganz leicht auf ein DIN-A4-Blatt übertragen, denn praktischerweise ist auch dieses Buch auf Papier im DIN-A4-Format gedruckt.

Was es sonst noch Wichtiges zu beachten gibt und was du so alles brauchen kannst, siehst du auf der nächsten Seite.

Was man zum Basteln so braucht ...

Eigentlich brauchst du nicht viel: einen Bleistift zum Vorzeichnen, Schere, Klebstoff und, wenn du willst, auch ein paar Stifte zum Bemalen.

Zum Schneiden brauchst du natürlich eine **Schere**. Mit einem **Cutter** geht das Schneiden manchmal etwas leichter – aber Vorsicht: Mit so einem Messer kann man sich auch leicht verletzen!

Mit **Buntstiften**, **Wachsmalkreiden** oder **Filzstiften** kannst du deine Basteleien farbig anmalen – aber bitte keine Deckfarben verwenden, sonst wird das Papier feucht und wellig.

Flüssiger **Klebstoff**, **Klebestift**, **Klebefilm** – alle Projekte in diesem Buch funktionieren mit jeder Art von Klebstoff.

Falze werden genauer, wenn du die Falzlinien vorher mit einem **Prägestift** „unsichtbar" vorzeichnest.

Lineal oder **Geodreieck** brauchst du für alle geraden Linien und Falze.

Wie man am besten bastelt ...

Damit nichts schiefgeht, findest du am Ende des Buches die passenden Vorlagen für alle Bastelideen aus dem Abenteuerland.

So überträgst du die Vorlagen:

Alle deine Vorzeichnungen machst du am besten mit einem **Bleistift**. Beim Nachzeichnen musst du darauf achten, dass dein Papier und die Vorlage nicht verrutschen.

Am einfachsten ist es, wenn du ein Blatt DIN-A4-Papier über die Seite legst und die Linien **durchpaust**.

Doch wenn das Papier nicht durchsichtig genug ist, kannst du ein Blatt **Kohlepapier** nehmen und die Vorlage durchzeichnen.

Falls ihr zu Hause kein Kohlepapier habt, kannst du es leicht selbst herstellen: Einfach ein dünnes Blatt Papier auf einer Seite mit einem **weichen Bleistift** einfärben. Dieses Blatt kommt zwischen die Vorlage und dein Blatt A4-Papier, die Bleistiftseite liegt dann auf dem weißen Papier.

Oder du legst die Vorlage einfach auf einen **Fotokopierer**. Das geht auch.

So machst du ein Loch ins Papier:

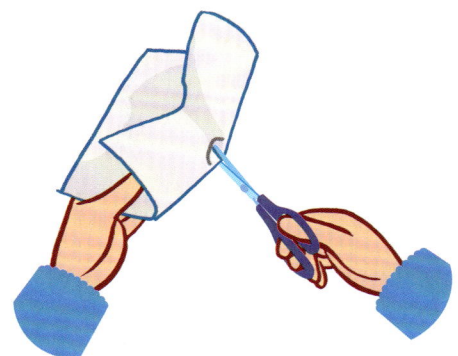

An der Stelle, wo das **Loch** sein soll, das Papier zusammenbiegen (nicht knicken!). Dort mit der Schere einen kurzen Schnitt machen. Wenn du das Papier auseinanderfaltest, siehst du ein kleines Loch, in das du mit der Schere hineinstechen kannst.

Das bedeuten die Linien und Striche auf den Vorlagen:

Die **schwarzen, durchgezogenen Linien** zeigen an, wo du schneiden musst.

An den **grauen, gestrichelten Linien** das Papier so falzen, dass auf der Papieroberseite ein „Berg" entsteht.

An den **grauen, gepunkteten Linien** das Papier so falzen, dass ein „Tal" entsteht – du kannst in den Falz hineinsehen.

Auf den Vorlagen findest du auch immer **Vorschläge** dafür, wie du deine Basteleien bunt bemalen kannst.

Vier Freunde aus dem
ZAUBERWALD

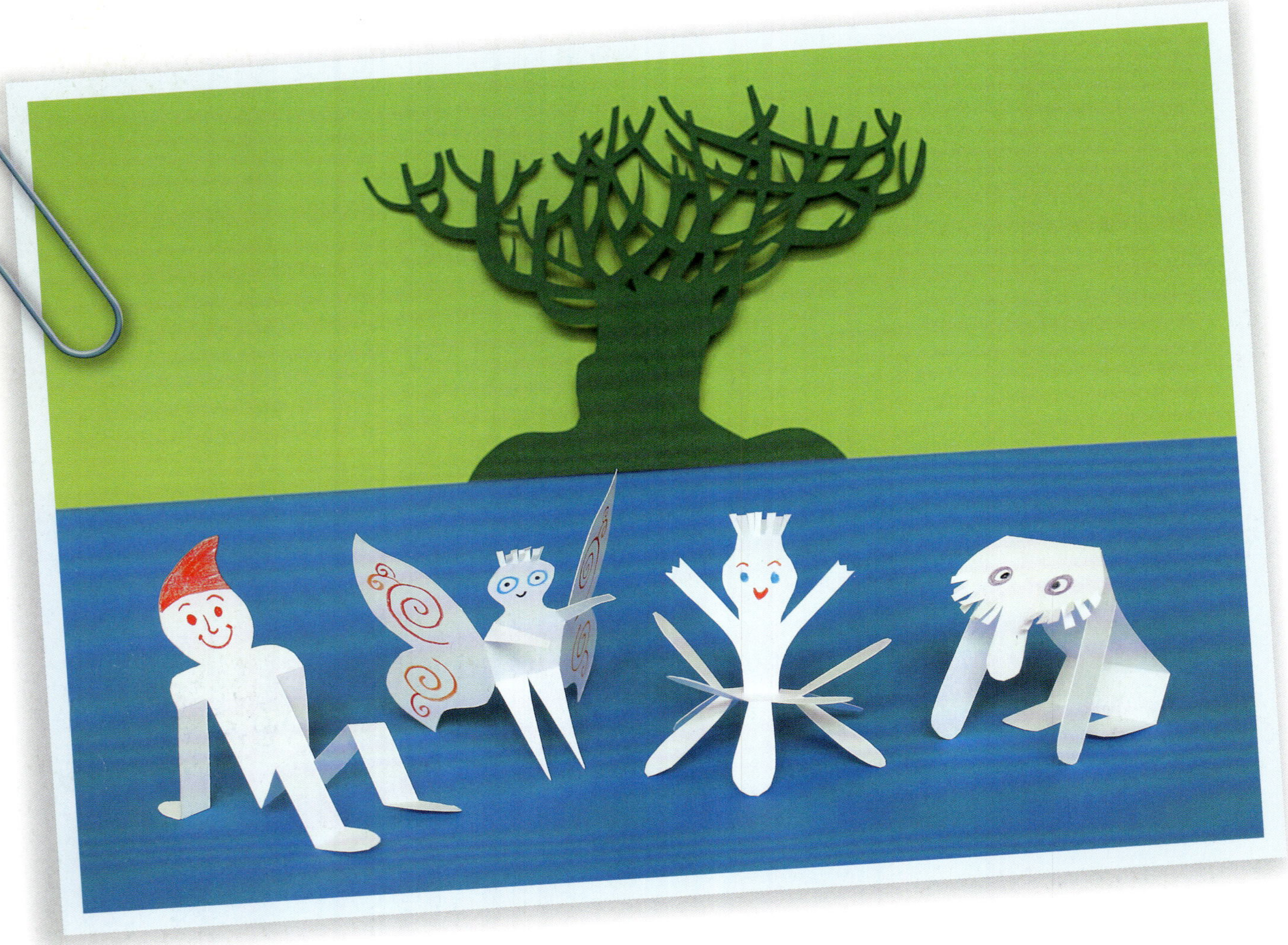

Im Zauberwald leben Kobolde, Elfen und allerhand andere geheimnisvolle Wesen. Sie sind für uns Menschen unsichtbar. Diese vier Freunde – der Wichtel, die Fee, die Blumenelfe und der Troll – lassen sich aus nur einem Blatt nachbasteln, ohne Kleben, nur durch Ausschneiden und Falten. Und natürlich kannst du sie auch bemalen. Denke dir spannende Abenteuer aus, die die vier im Zauberwald erleben.

Die Bastelanleitung für die vier Zauberwald-Freunde auf dem Foto findest du auf den nächsten Seiten.

VIER ZAUBERWALD-FREUNDE:
der Wichtel

Wichtel sind kleine, freundliche Kobolde, die aber auch gerne einmal Scherze auf Kosten anderer treiben.

1 Den Umriss von Seite 40 auf ein Blatt DIN-A4-Papier übertragen.

2 Mit Buntstiften das Gesicht und die Mütze aufmalen.

3 Die Figur ausschneiden.

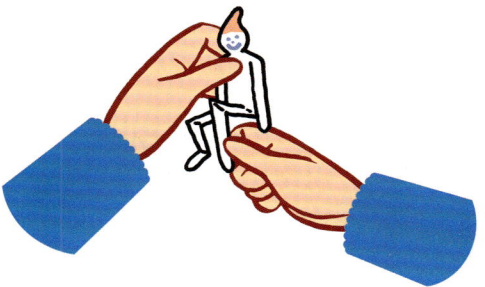

4 Arme und Beine so knicken, dass der Wichtel sitzen kann.

VIER ZAUBERWALD-FREUNDE:
der Troll

Trolle haben zwar Bärenkräfte, sind aber nicht sehr hilfsbereit. Sie sind meist schlecht gelaunt, gefräßig und können richtige Spielverderber sein. Sie sind behaart, waschen sich nicht und stinken. Kein Wunder also, dass nicht jeder Trolle mag.
Auch die Freunde aus dem Zauberwald haben es nicht immer leicht mit ihrem launischen Troll-Freund.

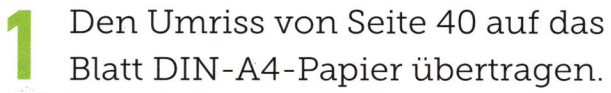

1 Den Umriss von Seite 40 auf das Blatt DIN-A4-Papier übertragen.

2 Die Augen des Trolls mit Buntstiften aufmalen.

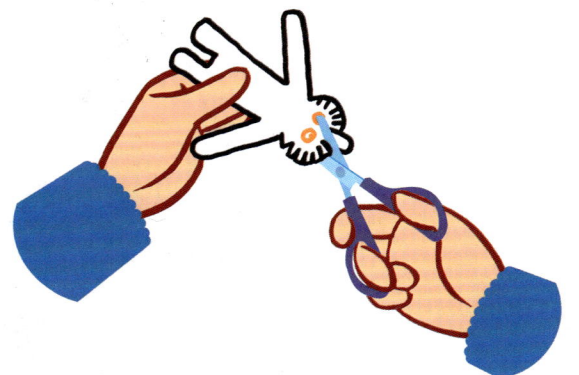

3 Die Figur ausschneiden und die Fransen am Bart einschneiden.

4 Arme und Kopf nach vorne falten.

5 Beine und Hüfte nach innen falten, den Rücken durchbiegen.

6 Die Nase nach unten biegen und die Fransen am Bart verwuscheln.

VIER ZAUBERWALD-FREUNDE:
die Blumenelfe

Die **Blumenelfe** träumt den ganzen Tag lang von schönen und zauber-haften Dingen. Darum wohnt sie auch so gerne in Blumen, denn dort riecht es angenehm, und die Farben der Blumen gefallen ihr auch so gut. Mit ihrer Fantasie bringt sie ihre Freunde immer wieder dazu, sich auf neue Abenteuer einzulassen.

1 Den Umriss von Seite 40 auf das Blatt DIN-A4-Papier übertragen.

2 Mit Buntstiften das Gesicht der Blumenelfe aufmalen.

3 Die Figur ausschneiden und die Haarfransen einschneiden.

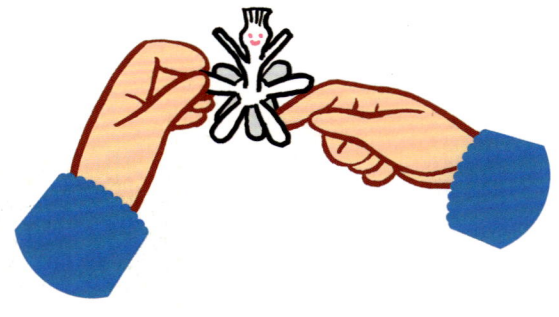

4 Jedes zweite Blütenblatt nach unten knicken.

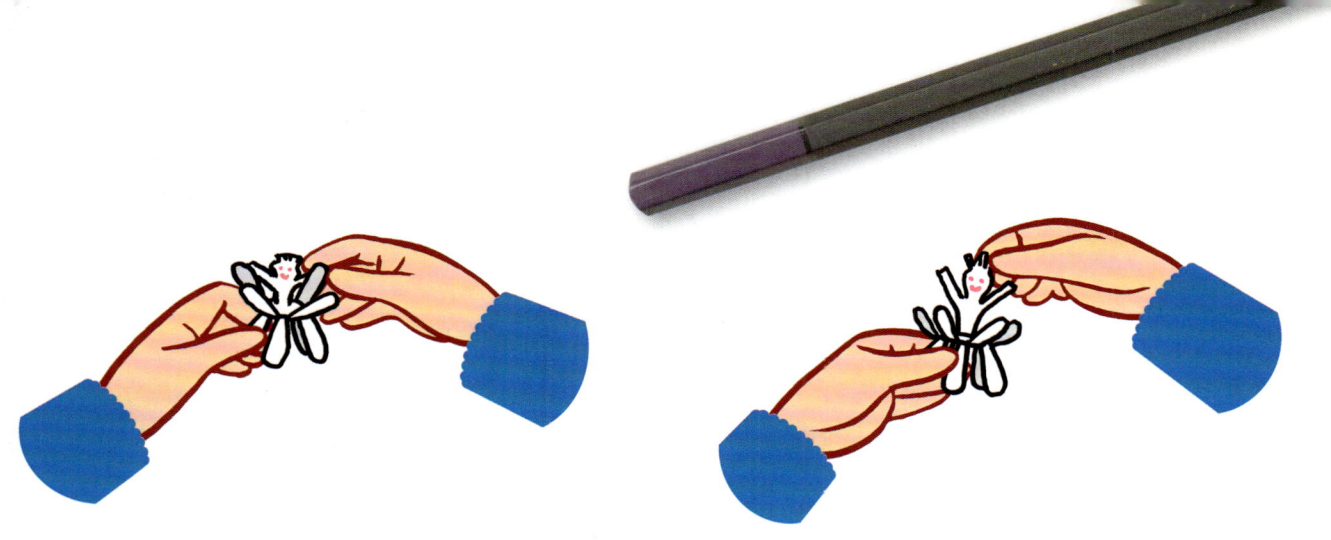

5 Nun die anderen Blütenblätter nach oben falten.

6 Den Körper aufrichten und die Haarfransen verwuscheln.

11

VIER ZAUBERWALD-FREUNDE:
die Fee

Mit ihren farbenfrohen Schmetterlingsflügeln kann die **Fee** ganz wunderbar fliegen. Und ein wenig zaubern kann sie auch. Das ist sehr nützlich, falls sie ihren Freunden aus der Patsche helfen muss, wenn sie bei einem ihrer Abenteuer wieder einmal nicht weiterwissen.

1 Den Umriss von Seite 40 auf das Blatt DIN-A4-Papier übertragen.

2 Mit Buntstiften das Gesicht und die Flügel bemalen.

3 Die Figur ausschneiden und die Haarfransen einschneiden.

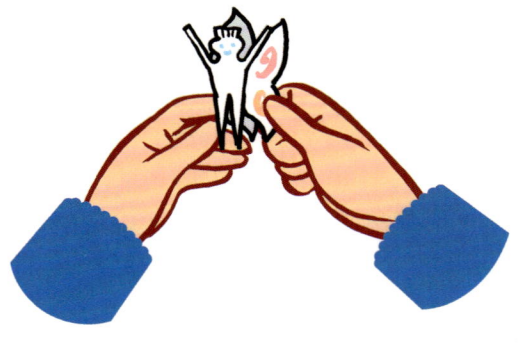

4 Die Flügel nach hinten knicken.

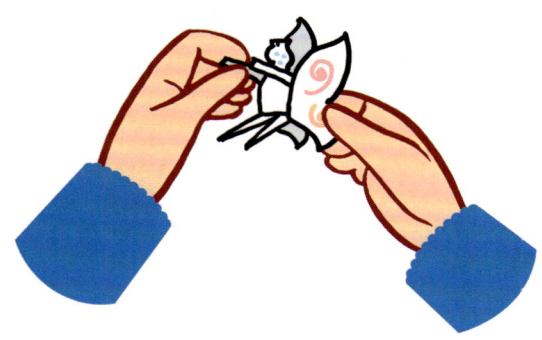 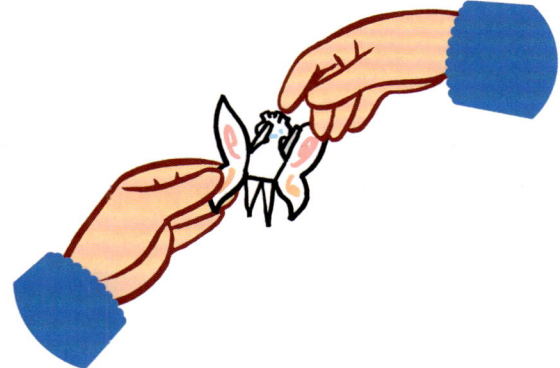

5 Arme und Beine so nach vorne knicken, dass die Fee sitzen kann.

6 Die Haarfransen verwuscheln. Fertig.

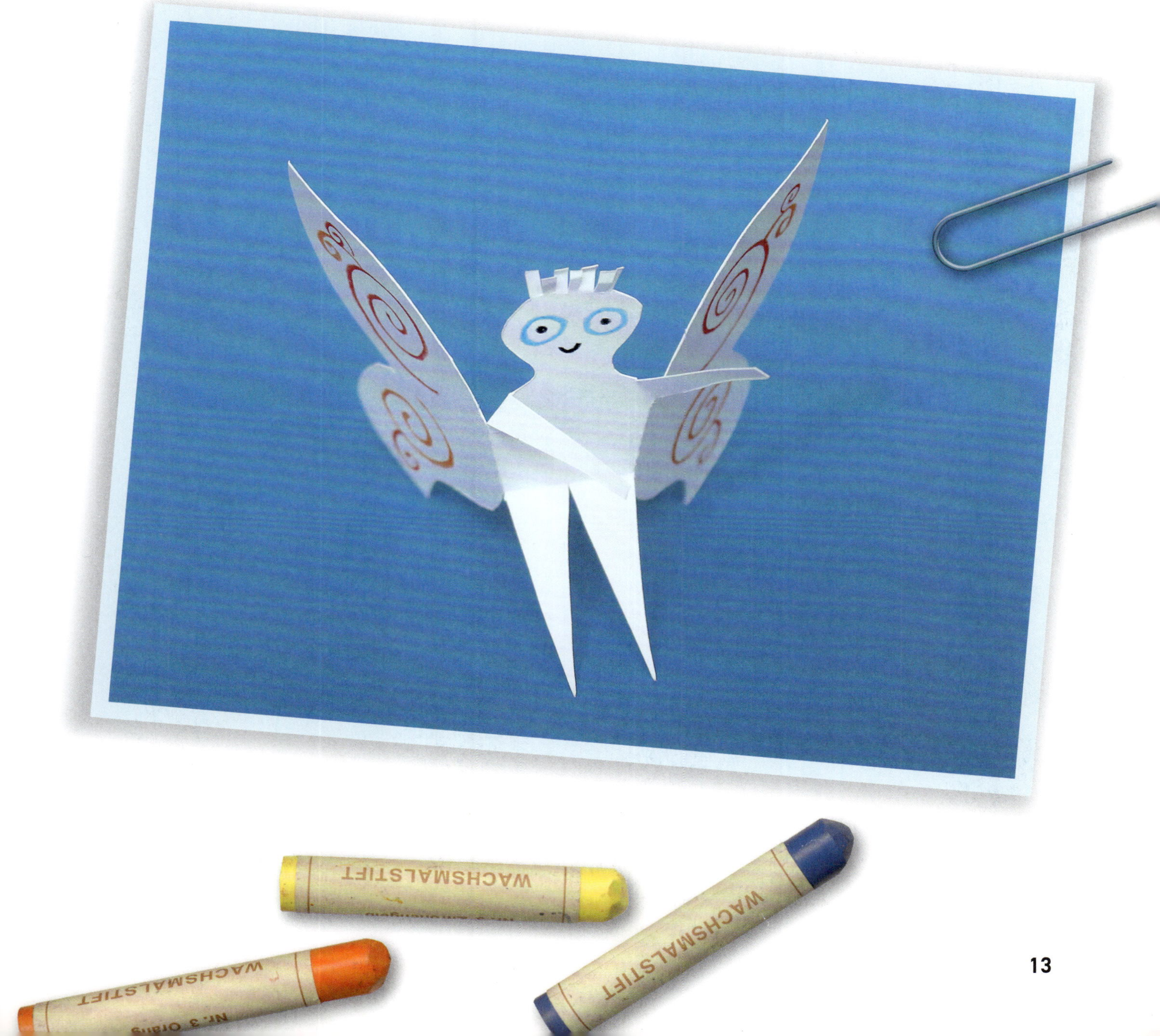

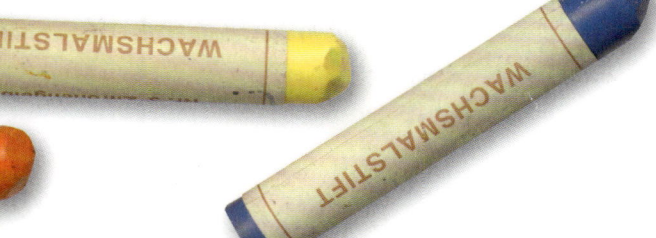

Fabelhafte MÄRCHENMASKEN

Prinzessin, Hexe und Kobold – würdest du dich nicht gerne mal in diese Figuren aus dem Märchenreich verwandeln? Mit diesen Masken, jede aus nur einem DIN-A4-Blatt gebastelt, ist das ganz leicht möglich. Und ein paar Kostümideen gibt's auch.

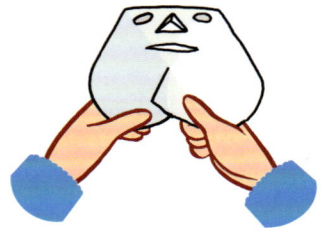

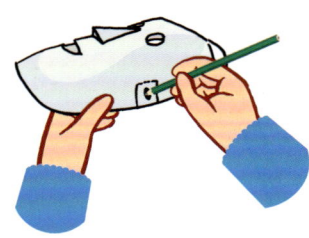

! Wenn du die Kanten an den Einschnitten übereinanderklebst, wölbt sich die Maske.

! Löcher für Bänder vor dem Einstechen mit Klebefilm vor dem Ausreißen sichern.

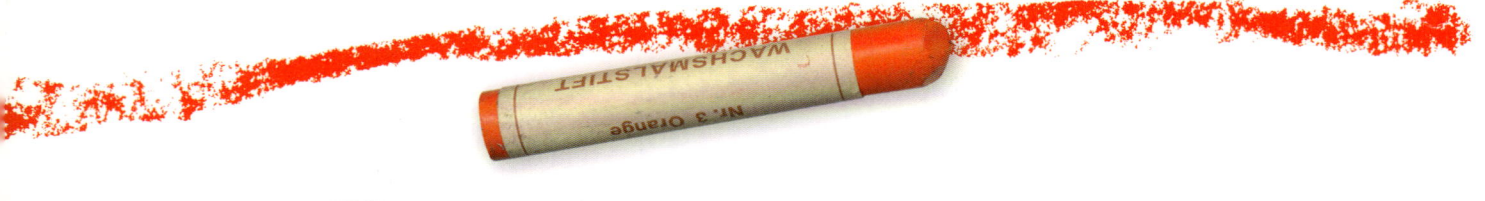

FABELHAFTE MÄRCHENMASKEN:
die Prinzessin

Eine **Prinzessin** ist die Tochter eines Königs. In den Märchen ist sie meistens eine wunderschöne junge Frau, für die dringend ein standesgemäßer Prinz gefunden werden muss. Dazu muss dieser sie aus den Klauen eines Drachen befreien. Und auch wenn gerade einmal kein Prinz in der Nähe ist, schweben Märchenprinzessinnen fast immer in Gefahr.

Die Bastelanleitung für die Prinzessinnenmaske und die anderen Masken findest du auf den nächsten Seiten.

1 Die Umrisse von Seite 41 auf ein Blatt A4-Papier übertragen.

2 Mit Buntstiften Gesicht und Krone bemalen.

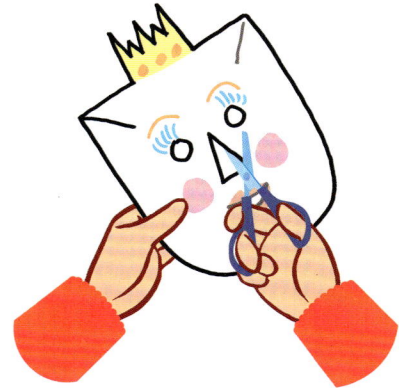

3 Die Maske, die Nase sowie den Mund, die Nasen- und die Augenlöcher ausschneiden.

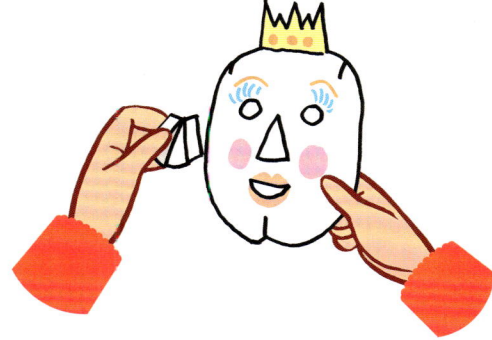

4 3 Einschnitte machen und verkleben, sodass sich die Maske wölbt. Die Krone nach vorne biegen, die Nase falzen und ankleben.

Das perfekte Prinzessinnenkostüm

Selbstverständlich ist nur das hübscheste Kleid gut genug für eine Prinzessin. Es sollte Rüschen haben, eine schöne Farbe (wie Pink oder Gold) und einen schwingenden Rock.

FABELHAFTE MÄRCHENMASKEN:
die Hexe

In vielen Märchen spielt eine **Hexe** mit. Meistens ist es eine hässliche, böse Frau, die mit ihren Zauberkräften Prinzessinnen und kleine Kinder bedroht oder Königssöhne in wilde Tiere verwandelt. Wusstest du, dass die Menschen in früheren Jahrhunderten tatsächlich an Hexen geglaubt haben und sie gejagt haben, weil sie sich vor ihnen fürchteten?

1 Den Umriss von Seite 42 auf ein Blatt DIN-A4-Papier übertragen.

2 Mit Buntstiften Gesicht, Nase und Ohren bemalen.

3 Die Maske, die Ohren und die Nase ausschneiden.

4 Die Öffnungen für Nase, Augen und Mund ausschneiden. Die Fransen (Haare) einschneiden.

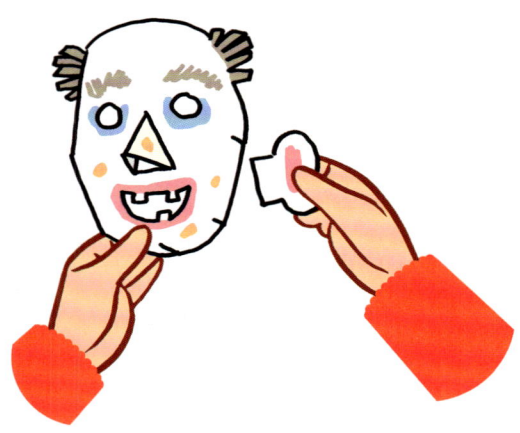

5 Am Rand der Maske 5 Einschnitte machen und so verkleben, dass sich die Maske wölbt.

6 Nase und Ohren falzen und ankleben. Die Haarfransen verwuscheln. Fertig.

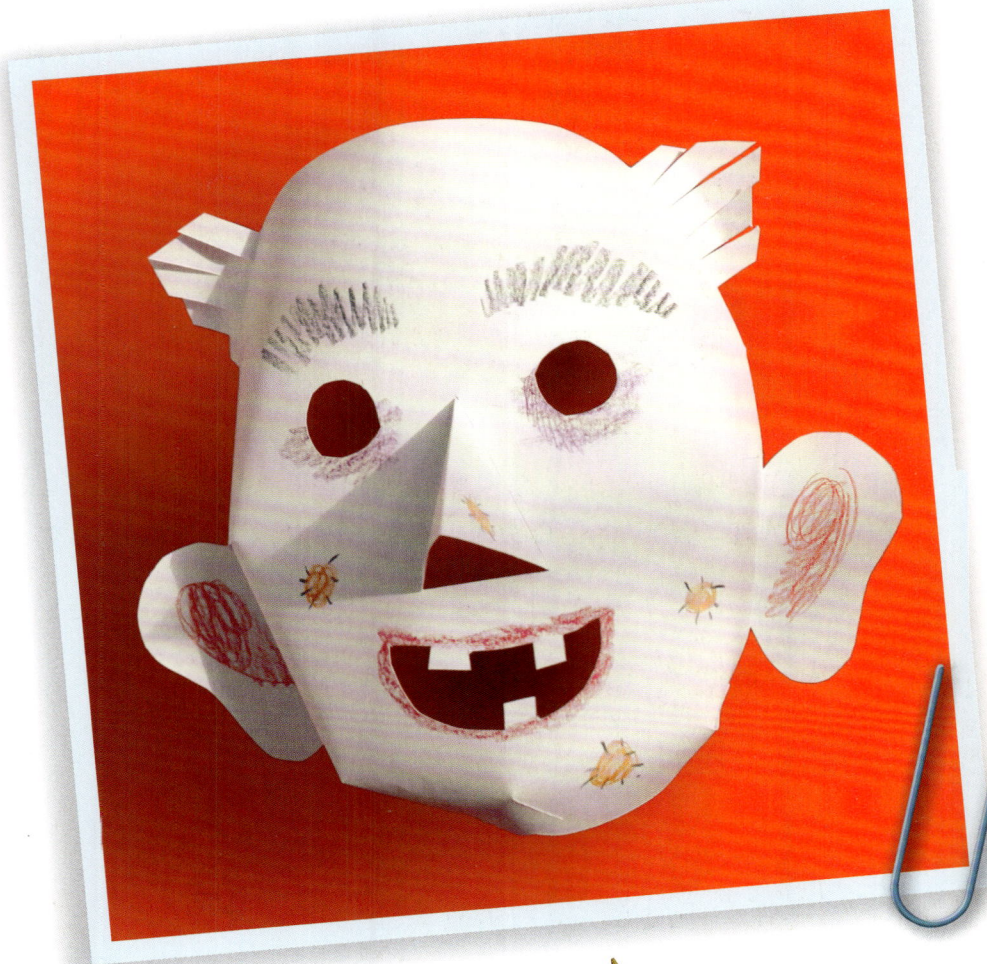

Das perfekte Hexenkostüm

Ein langer Rock, ein Kopftuch oder ein spitzer Hut, ein paar Flicken: Fertig ist das Hexenkostüm! Und natürlich gehört auch ein Besen dazu.

FABELHAFTE MÄRCHENMASKEN:
der Kobold

Kobolde sind Hausgeister. Sie passen auf, dass im Haus alles seine Ordnung hat, spielen den Bewohnern aber auch gerne einen Streich. Nicht nur an Land gibt es Kobolde: Auf Schiffen werden sie Klabautermänner genannt. In Irland gibt es einen Kobold mit einem unaussprechlichen Namen: „Leprechaun". Er ist sehr geizig und bewacht eifersüchtig einen Goldschatz, den er am Ende eines Regenbogens versteckt hat.

1 Den Umriss von Seite 43 auf ein Blatt DIN-A4-Papier übertragen.

2 Mit Buntstiften Gesicht, Nase, Ohren und Haare (auch auf der Rückseite!) bemalen.

3 Alle Teile der Maske ausschneiden. Die Öffnungen für Nase, Augen und Mund ausschneiden. Die Haar- und Bartfransen einschneiden.

4 Am Rand der Maske 6 Einschnitte machen und so verkleben, dass sich die Maske nach vorne wölbt.

5 Die Nase biegen (nicht knicken!) und einkleben. Die Ohren falzen und ankleben.

6 Die Haarfransen verwuscheln und den Ziegenbart ankleben.

Das perfekte Koboldkostüm

Kobolde mögen den Wald und wollen nicht entdeckt werden, ihre Kleider sind darum braun oder grün. Ein lustiger Hut oder ein paar schicke Schuhe passen auch gut zum Kostüm.

SPIELFIGUREN FÜR EINE

Zirkusvorstellung

In der Manege steht der Zirkusdirektor und kündigt die Artisten an: Otto Karacho, den stärksten Mann der Welt, den großen Zauberer Fussellini, Bunzi, den Clown, und Bambinella, die Seiltänzerin. Und dann wird er selbst noch als Dompteur auftreten – die Zuschauer sind gespannt ...

Bastelmaterial:

- ***1 Blatt A4-Papier***
- ***Bleistift***
- ***Buntstifte***
- ***Schere***

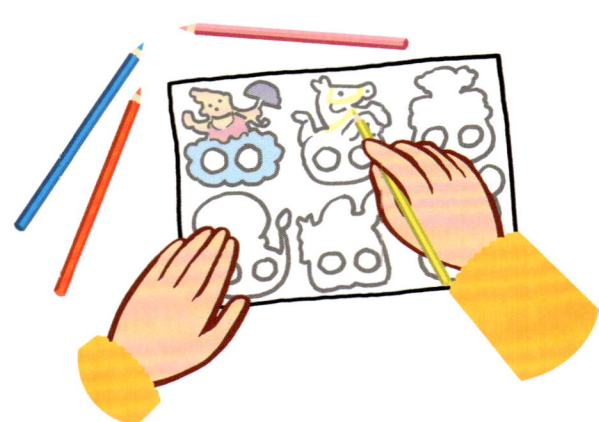

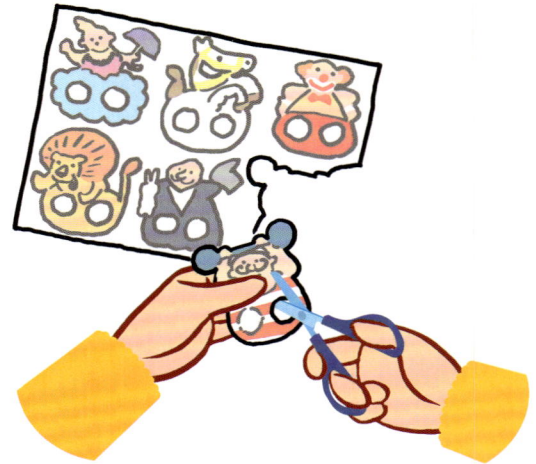

1 Die Umrisse von Seite 44 auf ein Blatt DIN-A4-Papier übertragen, die Figuren bunt ausmalen.

2 Die Figuren ausschneiden, dann die Löcher für die Finger ausschneiden.

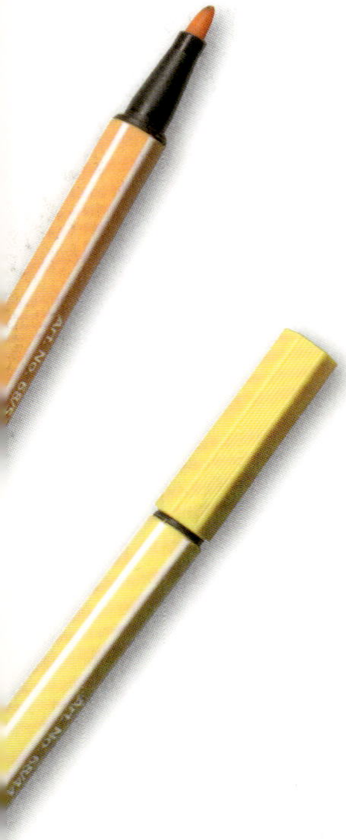

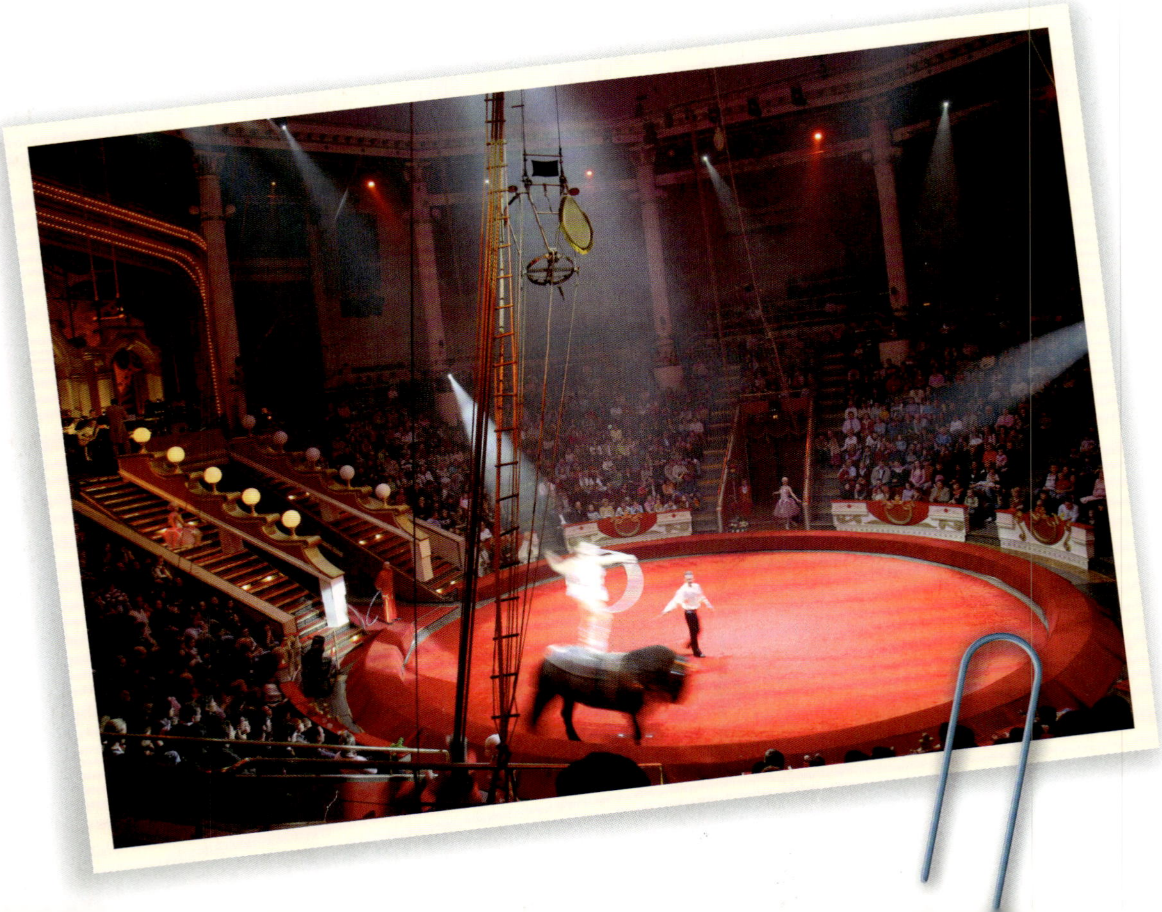

So einfach spielst du mit den Figuren:

Du brauchst nur Zeige- und Mittelfinger von hinten durch die beiden Löcher am unteren Rand der Figur zu stecken und schon hat diese „Beine". Jetzt kann die Vorstellung beginnen.

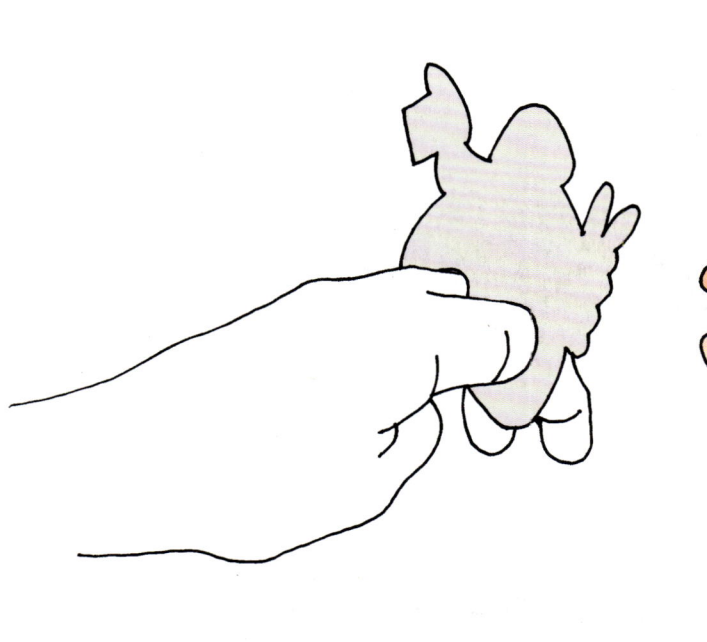

Fantastische FABELTIERE

Bastelmaterial:
- 1 Blatt A4-Papier
- Bleistift
- Buntstifte
- Schere

In Märchen und Sagen begegnen wir den Fabelwesen. So nennt man die tier- und menschenähnlichen Geschöpfe, die eigentlich nicht wirklich existieren, sondern der Fantasie entstammen. Wer sich diese Wesen ausgedacht hat, weiß man nicht: Die meisten Fabelwesen sind seit vielen Tausend Jahren bekannt. So ist im Laufe der Zeit ein genaues Bild von ihnen entstanden. Außerdem war nicht immer klar, ob es manche dieser Tiere nicht doch tatsächlich gibt. Oft haben Forscher darum Reisen in ferne Länder unternommen, um Fabelwesen zu entdecken.

Die Bastelanleitung für die Fabeltiere findest du auf den nächsten Seiten.

FANTASTISCHE FABELTIERE:
die Sphinx

Eine **Sphinx** sieht aus wie eine große Katze mit einem menschlichen Gesicht und Flügeln. Sie kennt viele Geheimnisse und Rätsel.

1 Den Umriss von Seite 45 auf ein Blatt DIN-A4-Papier übertragen und das Gesicht aufmalen.

2 Die Figur ausschneiden.

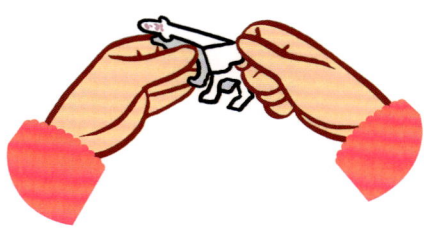

3 Die Beine nach unten knicken, dann die Flügel nach hinten falzen und die Federn aufmalen.

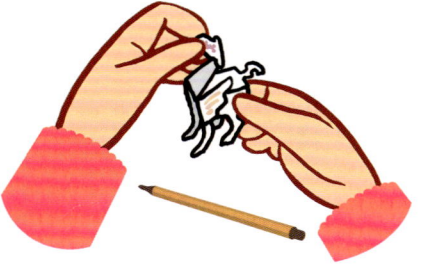

4 Den Hals nach oben und den Kopf nach vorne knicken. Den Schwanz nach oben knicken.

FANTASTISCHE FABELTIERE:
der Drache

Drachen sind geschuppt und sehen wie geflügelte Schlangen aus. Sie haben gefährlich scharfe Klauen und speien Feuer. Und natürlich können sie auch fliegen. In Asien ist alles ganz anders: Dort sind Drachen echte Glücksbringer und werden mit dem Element Wasser verbunden.

1 Den Umriss von Seite 45 auf das Blatt DIN-A4-Papier übertragen.

2 Mit Buntstiften das Gesicht und die Schuppen aufmalen.

3 Die Figur ausschneiden.

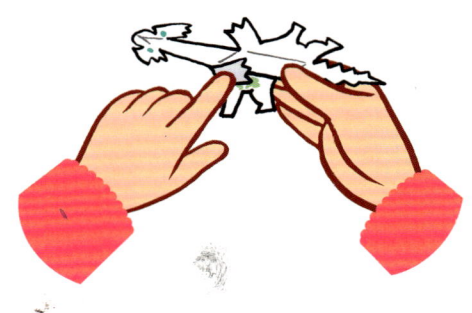

4 Die Beine nach unten und die Flügel nach hinten knicken.

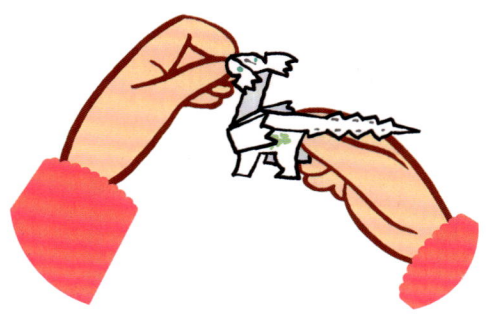

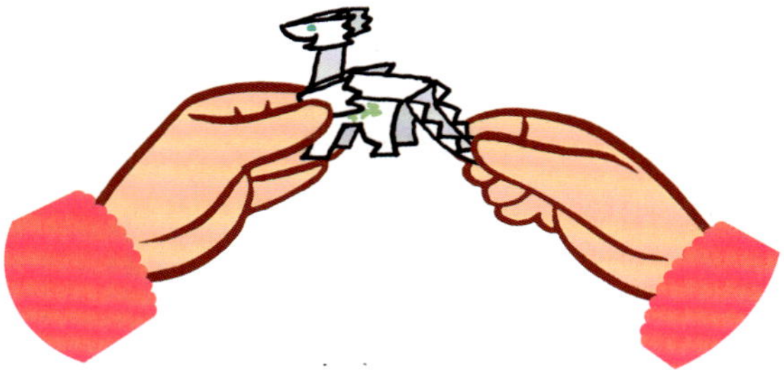

5 Den Hals nach oben knicken, dann den Kopf nach unten und die „Wangen" seitlich nach unten knicken.

6 Den Schwanz nach unten knicken und die Zacken am Schwanz nach oben falten. Dann den Schwanz leicht rund biegen.

FANTASTISCHE FABELTIERE:
das Einhorn

Einhörner sind scheue Wesen. Sie sehen aus wie zierliche, weiße Pferde und haben ein einzelnes langes Horn auf der Stirn. Sie sind ein Symbol für das Gute, Edle und Schöne.

1 Den Umriss von Seite 45 auf das Blatt DIN-A4-Papier übertragen.

2 Mit Buntstiften das Gesicht des Einhorns aufmalen.

3 Die Figur ausschneiden. Das Horn auf dem Hals vorsichtig – am besten mit einem Cutter – so ausschneiden, dass es nicht abreißt.

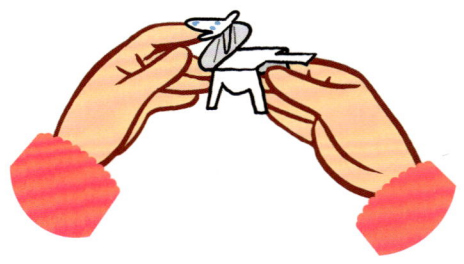

4 Die Beine nach unten knicken. Dann den Hals nach oben und den Kopf wieder nach unten knicken.

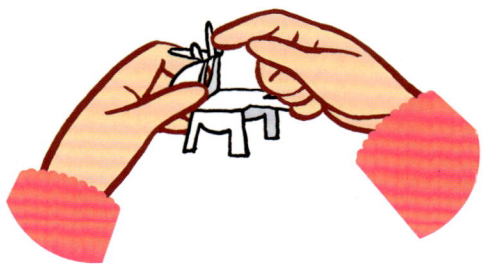

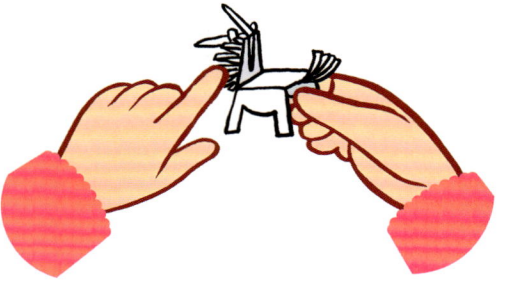

5 Die Ohren seitlich nach vorne knicken. Dann das Horn aus dem Hals heraus nach oben falten. Die Mähne am Hals nach vorne (unten) knicken.

6 Den Schwanz nach oben biegen. Die Fransen für die Mähne und den Schwanz einschneiden und verwuscheln.

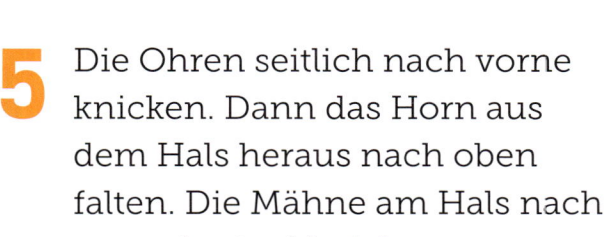

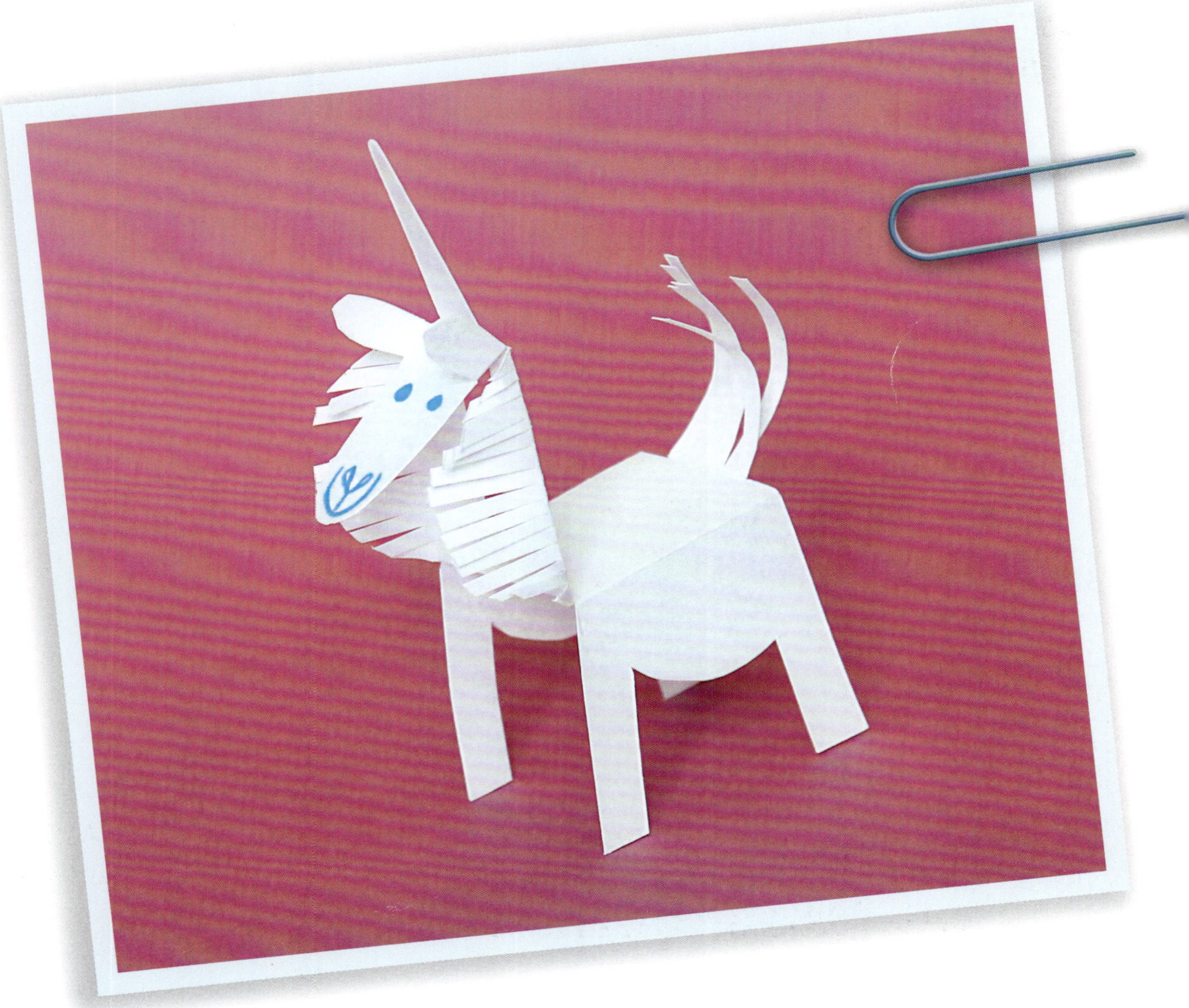

VORHANG AUF:

Fingerpuppen

Hast du Lust, ein paar spannende Abenteuer in deinem eigenen Theater aufzuführen? Du brauchst dazu nur ein Blatt DIN-A4-Papier!
Eine Theaterbühne findest du auch ganz schnell: die Kante eines Tisches, hinter der du dich verstecken kannst. Damit du ein erstes Abenteuer nachspielen kannst, findest du auf den nächsten Seiten schon mal ein kurzes Stück. Aber jetzt geht es zunächst einmal ans Basteln – so stellst du deine sechs „Schauspieler" her:

1 Die Umrisse der Figuren von Seite 46 auf ein Blatt DIN-A4-Papier übertragen.

2 Alle Figuren mit Buntstiften farbig anmalen.

3 Die Figuren und die dazugehörenden Arme ausschneiden.

4 Schlitze für die Arme in die Figuren schneiden.

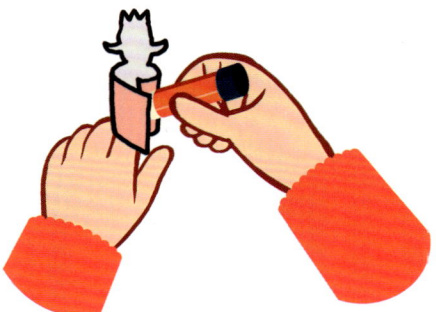

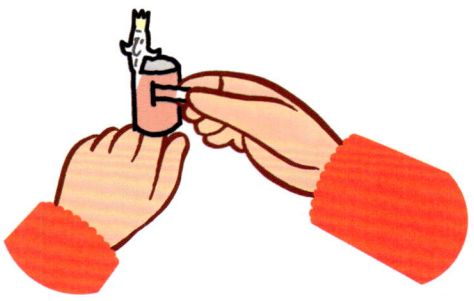

5 Den „Körper" der Figuren zu einer Röhre zusammenkleben.

6 Die Arme in die dafür vorgesehenen Schlitze stecken und an der Innenseite festkleben.

Ein kurzes Stück, das du mit diesen Fingerpuppen spielen kannst, findest du auf der nächsten Seite.

Dies ist ein erstes, ganz kurzes Stück für deine Papierfiguren. Theaterstücke werden auf eine besondere Weise geschrieben: Man erkennt sofort, wer wann was sagt. Zum Beispiel: **König: „Was ist denn hier los?"** Außerdem kannst du auch noch lesen, was sonst so passiert. Das nennt man „Regieanweisung". Das sieht so aus: *Man hört einen Schrei.* Wenn das Stück beginnt, geht der Vorhang auf, am Ende geht der Vorhang wieder zu. So macht man das im richtigen Theater und so machst du das auch. Los geht's!

VORHANG AUF:

Die verzauberte Prinzessin

Man hört einen Schrei. Der König fällt von seinem Thron und wundert sich.

König: „Was ist denn hier los? Wer schreit hier so rum?"

Ein Gespenst tritt auf.

Gespenst: „Hilfe! Da ist ein Gespenst in meinem Spiegel!"

König: „Hilfe! Da ist ja ein Gespenst in meinem Schloss!"

Gespenst: „Aber Papa, wo denn? Hier ist doch gar kein Gespenst, aber in meinem Zimmer ist eins ..."

König: „Weiche von mir, du Geist! Du, du, du ... hast meiner Tochter die Stimme gestohlen!"

Gespenst: „Mensch, Papa, ich bin doch kein Geist! Ich bin Prinzessin Rosalie. Wieso hältst du mich denn bloß für ein Gespenst?"

König: „Na, dann sieh dich doch mal an: Ganz weiß bist du. Und große, dunkle Augen hast du auch."

Gespenst: „Aber dann war das in meinem Spiegel ja gar kein Gespenst ..."

Das Gespenst zögert einen Moment und schreit dann auf.

Gespenst: „Neiiin!"

Das Gespenst fällt in Ohnmacht. Der Vorhang geht zu.

Der König und der Zauberer Willufred beraten sich.
Hans, der Küchenjunge, hat sich hinter dem Thron versteckt.

König: „Also Willufred, wie bekomme ich meine Tochter zurück? Sie kann doch nicht für immer ein Gespenst bleiben!"

Willufred: „Tja, sie hat sich gewiss bei Vollmond vor einer schwarzen Katze erschreckt und gleichzeitig eine Kröte gehört ... hmm, sehr schwierig, das wird dauern, bis ich den richtigen Trank finde. Vielleicht hat sie sich auch vor einer Kröte erschreckt und eine Vollkatze gehört. Oder der Mond hat die Katze gehört und eine Kröte mit der Prinzessin erschreckt. Da muss ich erst einmal meine Zauberbücher lesen ..."

Der Zauberer murmelt unverständliche Worte vor sich hin und tritt ab.

König: „Oje, oje, oje, der bringt es fertig und macht alles nur noch schlimmer."

Hans: *flüstert:* „Da kann nur eine helfen, Tante Monumentalia, die Hexe."

Der Vorhang geht zu.

Die Hexe steht vor ihrem Topf und kocht. Hans und das Gespenst schauen zu.

Hexe: „Lirum, Larum, Löffelstiel, wer nichts kocht, der kocht nicht viel."

Gespenst: „Sag mal, Hans, bist du dir sicher, dass deine Tante weiß, was sie tut?"

Hans: „Jaja, mach dir keine Sorgen. Eigentlich ist sie total normal. Aber wenn sie diese Hexenträcke braut, tut sie immer so, als wäre sie eine gefährliche alte Hexe."

Hexe: „Ja, mein Kind. Sei ganz beruhigt. Ich bin alt, aber nicht dumm. Du bist bloß barfuß in Gespensterpuder getreten. Den hat wahrscheinlich der schusselige Willufred herumliegen lassen. Etwas magische Hühnersuppe und du bist wieder ganz die alte."

Das Gespenst trinkt die Suppe. Dann verschwindet es und die Prinzessin erscheint.

Prinzessin: „Hurra! Ich bin wieder ich!"

Hexe: „Sag ich doch."

Prinzessin: „Danke! Danke, lieber Hans. Danke, Tante Monumentalia!"

Hans: „Komm, wir müssen deinem Papa Bescheid sagen, er macht sich sonst Sorgen. Aber den schusseligen Willufred lassen wir ruhig noch ein bisschen über seinen Büchern schwitzen."

Ende des Stücks.

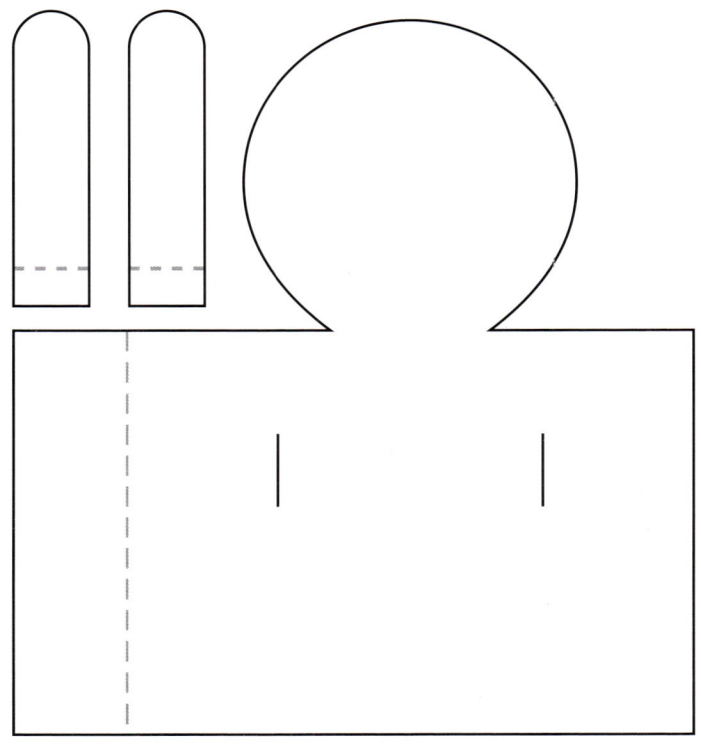

Wenn du noch weitere „Schauspieler" in deinem Stück mitspielen lassen willst, kannst du diese Zeichnung als Vorlage nehmen und damit neue Figuren erfinden.

WO PRINZESSINNEN WOHNEN:
das Märchenschloss

Als Königstochter lebt eine Prinzessin natürlich standesgemäß in einem richtigen Schloss, wo sie rund um die Uhr von Kammerzofen bedient und von Rittern beschützt werden kann. In welchem der vielen Türme des Schlosses mag die Prinzessin wohl wohnen?

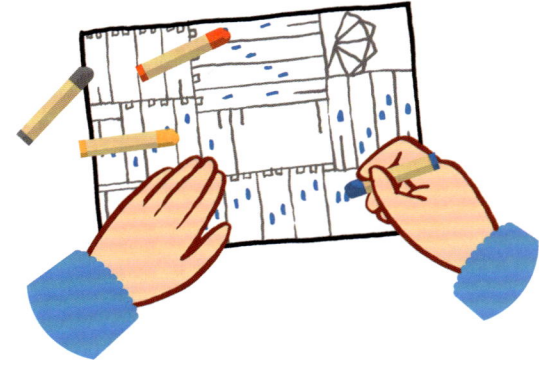

1 Die Vorzeichnung von Seite 47 auf ein Blatt DIN-A4-Papier übertragen.

2 Mit Buntstiften Fenster und Tor aufmalen und das Dach des Turms ausmalen.

3 Die Falzlinien mit einem Prägestift und einem Lineal nachziehen, damit später besser
gefaltet werden kann.

4 Die Einzelteile des Märchen-
schlosses ausschneiden.

Die Bastelanleitung für das Märchenschloss geht auf der nächsten Seite weiter.

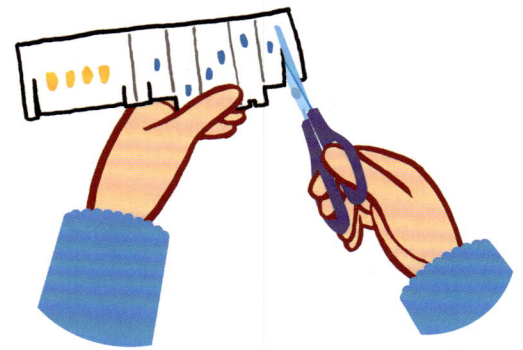

5 An den Mauern und Türmen überall dort die eingezeichneten Einschnitte machen, wo die Teile später zusammengesteckt werden.

6 Das spitze Dach des Turms zu einer kleinen Pyramide falzen und zusammenkleben.

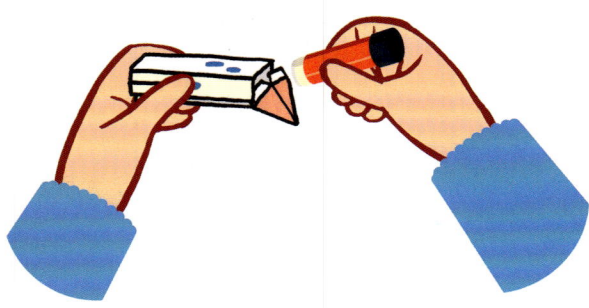

7 Anschließend vorsichtig Klebstoff auf die Klebelaschen unten am Dach auftragen.

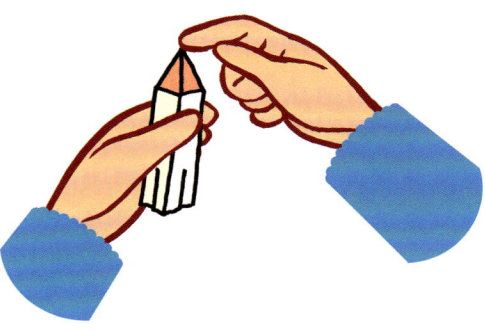

8 Das Dach an den Wänden des Turms festkleben.

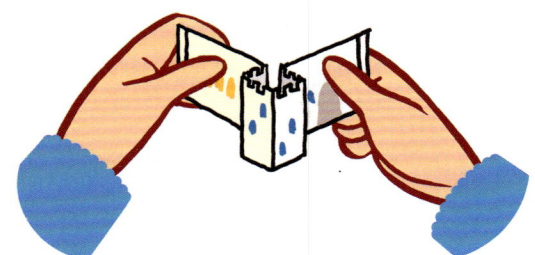

9 Bei der Mauer mit dem Eckturm die Berg- und Talfalze so knicken, dass die Mauer von alleine stehen kann.

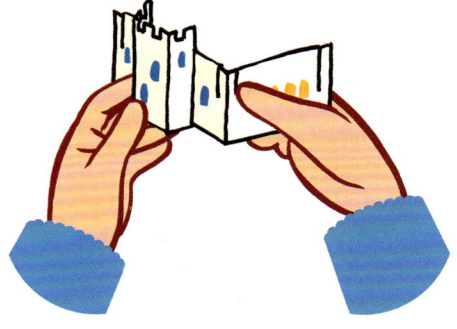

10 Mit der anderen Mauer machst du es genauso: Berg- und Talfalze wieder so knicken, dass das Teil von alleine steht.

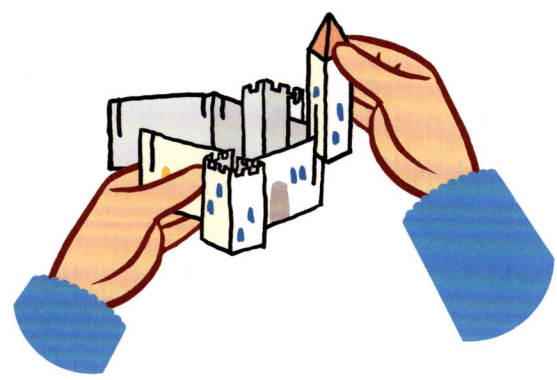

11 Verbinde beide Mauern, indem du den Turm mit dem Dach aufsetzt: Die Einschitte unten am Turm in die Einschnitte oben an den Mauern stecken.

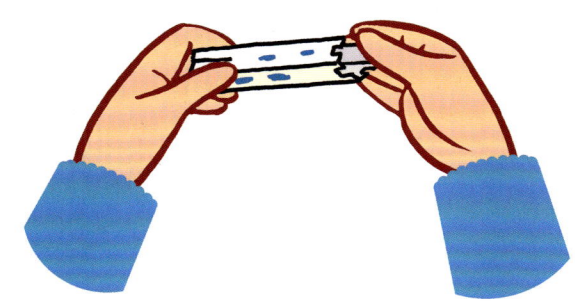

12 Jetzt den langen Turm falzen, sodass eine Art eckige Röhre entsteht.

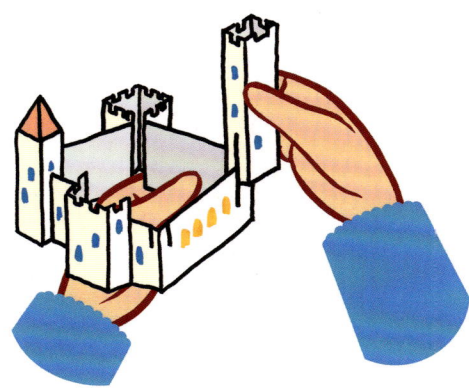

13 Den langen Turm in die Einschnitte der Mauern stecken, sodass die Schlossmauern geschlossen sind.

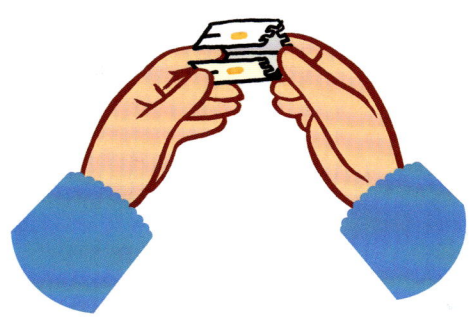

14 Den kleinen Turm zu einer eckigen Röhre falzen.

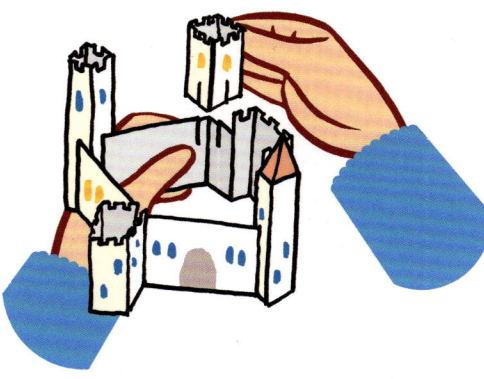

15 Den kleinen Turm auf die Ecke der Burgmauern stecken – fertig ist das Märchenschloss.

SPASS MIT MURMELN:
Geduldspiel

Kannst du eine Murmel der Reihe nach in die sechs Ziellöcher rollen lassen? Nur durch Kippen der Schachtel? Für dieses Geduldspiel braucht man bloß ein einziges Blatt DIN-A4-Papier. Viel Spaß beim Spielen!

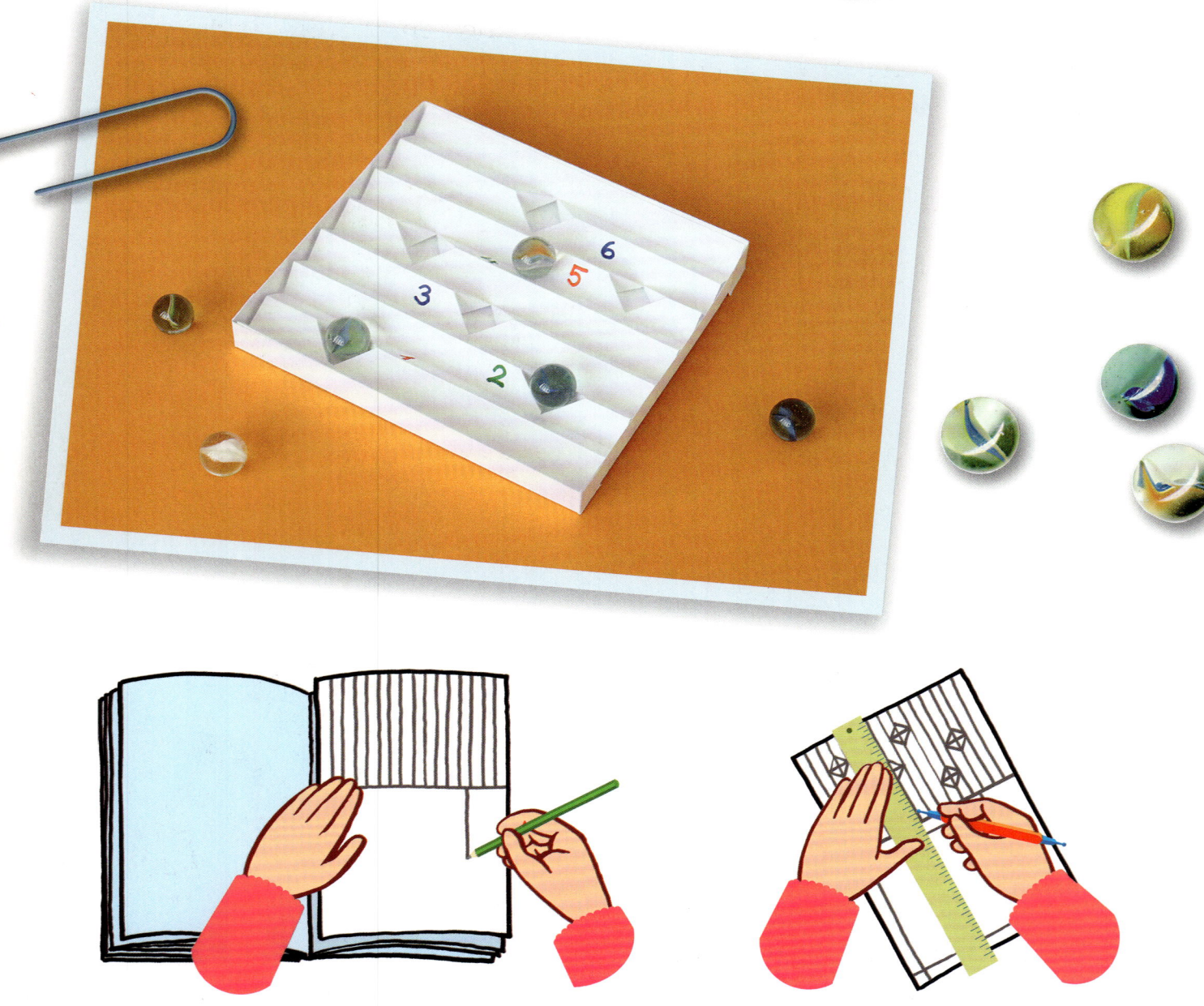

1 Die Vorzeichnung von Seite 39 auf ein Blatt DIN-A4-Papier übertragen.

2 Die Falzlinien mit Prägestift und Lineal nachziehen, damit später besser gefaltet werden kann.

3 Die zwei Teile für das Murmel-spiel ausschneiden. Es bleibt ein Streifen übrig, den du nicht benötigst.

4 An den Ecken viermal ein-schneiden, sodass vier kleine Laschen entstehen.

5 Die Ränder nach oben falten.

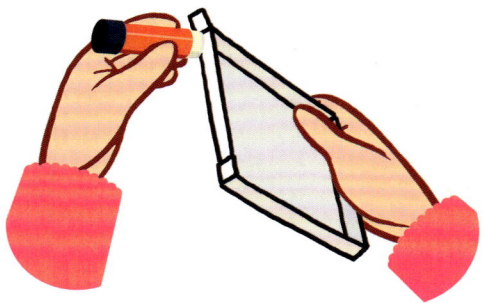

6 Die Laschen an den Rändern festkleben, sodass eine kleine Schachtel entsteht.

7 Das Innenteil wie eine Zieh-harmonika falten: Abwechselnd Berg- und Talfalze knicken.

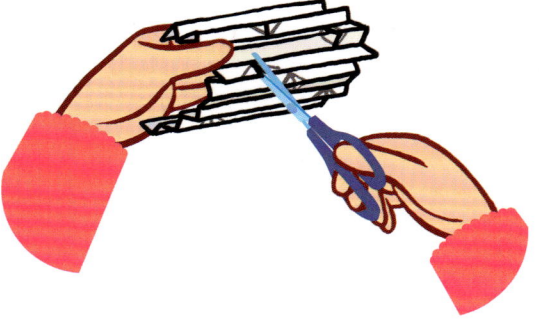

8 An den Bergfalzen die 6 vor-gezeichneten Einschnitte machen.

Die Bastelanleitung für das Geduldspiel geht auf der nächsten Seite weiter.

9 Nun die Ecken an den Einschnitten hin und her knicken, sodass „schräge" Falzlinien entstehen. Dann das Innenteil vorsichtig auseinanderziehen.

10 Die Falze an den Einschnitten so eindrücken, dass kleine Mulden entstehen.

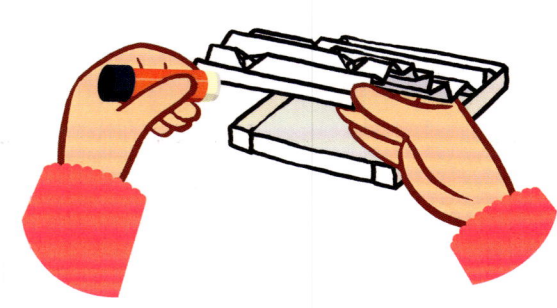

11 Das Innenteil mit den äußeren Seiten in die Schachtel einkleben.

12 Zum Schluss noch die Zahlen von 1 bis 6 aufmalen.

Spielvarianten:

Lege (z. B. mit einem Würfel) eine zufällige Reihenfolge fest, in der du die Murmel in die Löcher rollen musst: zum Beispiel 6, 2, 3, 1, 5, 4. Oder spiele das Geduldspiel mit sechs Murmeln statt mit nur einer. Schaffst du es, alle Kugeln in die Löcher rollen zu lassen, ohne dass eine der anderen Murmeln dabei wieder herausrollt?

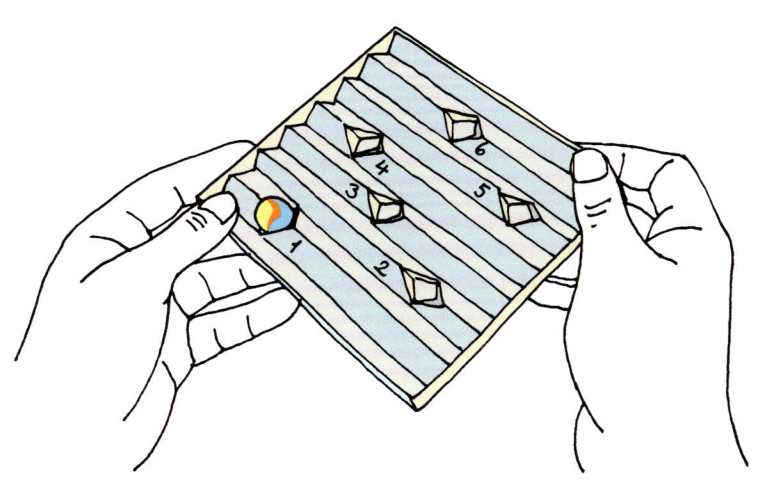

Geduldspiel (S. 36)

Diesen Abschnitt benötigst du nicht.

Vier Freunde aus dem
Zauberwald (S. 7–13)

Prinzessinnenmaske (S. 14)

41

Koboldmaske (S. 18)

43

Spielfiguren für eine
Zirkusvorstellung (S. 20)

44

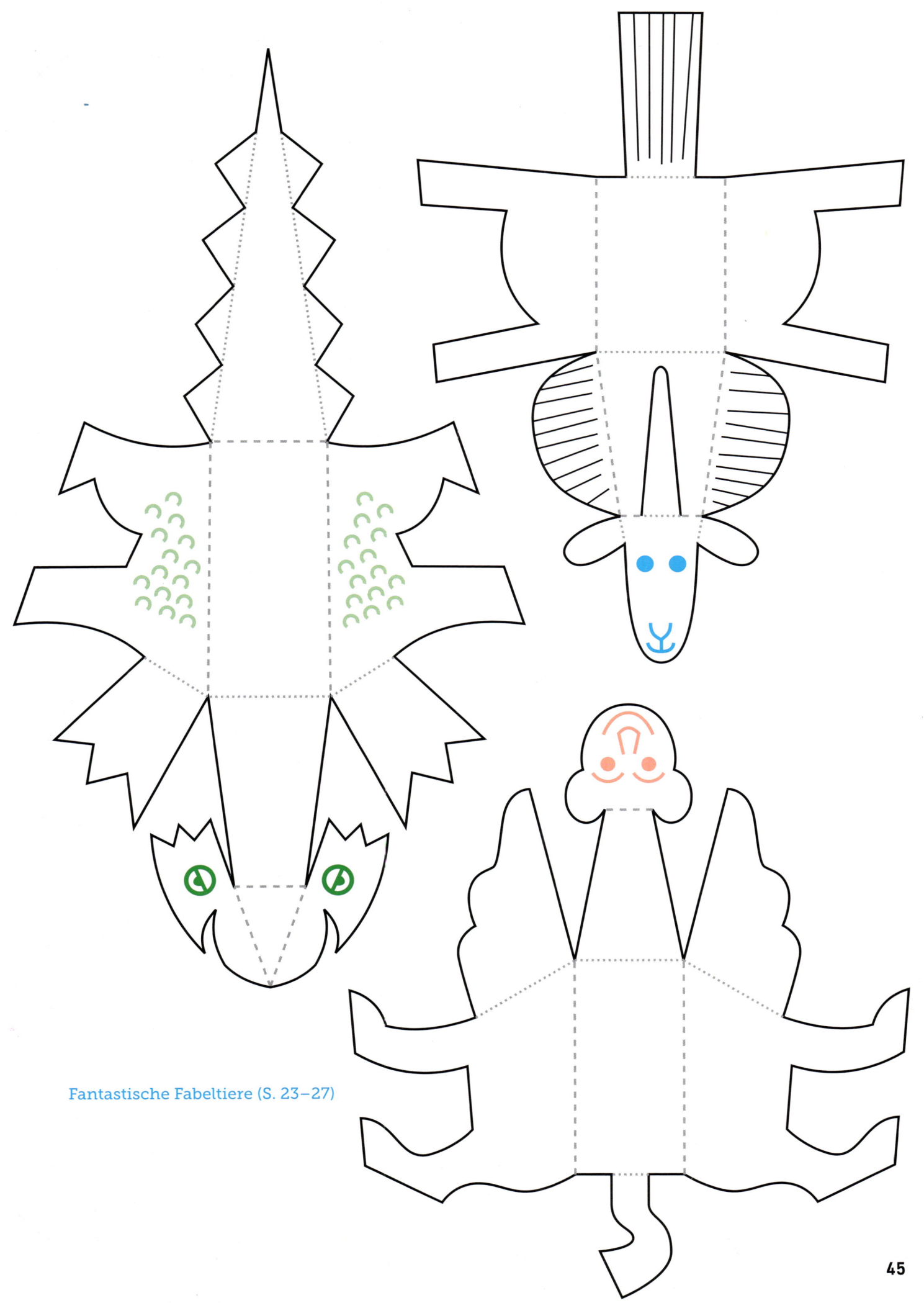

Fantastische Fabeltiere (S. 23–27)

45

46

Fingerpuppen (S. 28)